Le Dern... Cauchem...
du p...

Du même auteur chez Québec Amérique

Jeunesse

SÉRIE PETIT BONHOMME

Les mots du Petit Bonhomme, album, 2002.
Les musiques du Petit Bonhomme, album, 2002.
Les chiffres du Petit Bonhomme, album, 2003.
Les images du Petit Bonhomme, album, 2003.
Le corps du Petit Bonhomme, album, 2005.

SÉRIE PETIT GÉANT

Les Cauchemars du petit géant, coll. Mini-Bilbo, 1997.
L'Hiver du petit géant, coll. Mini-Bilbo, 1997.
La Fusée du petit géant, coll. Mini-Bilbo, 1998.
Les Voyages du petit géant, coll. Mini-Bilbo, 1998.
La Planète du petit géant, coll. Mini-Bilbo, 1999.
La Nuit blanche du petit géant, coll. Mini-Bilbo, 2000.
L'Orage du petit géant, coll. Mini-Bilbo, 2001.
Le Camping du petit géant, coll. Mini-Bilbo, 2002.
Les Animaux du petit géant, coll. Mini-Bilbo, 2003.
Le Petit Géant somnambule, coll. Mini-Bilbo, 2004.
Le Grand Ménage du petit géant, coll. Mini-Bilbo, 2005.

SÉRIE NOÉMIE

Noémie 1 - Le Secret de Madame Lumbago, coll. Bilbo, 1996.
 • **Prix du Gouverneur général du Canada 1996**
Noémie 2 - L'Incroyable Journée, coll. Bilbo, 1996.
Noémie 3 - La Clé de l'énigme, coll. Bilbo, 1997.
Noémie 4 - Les Sept Vérités, coll. Bilbo, 1997.
Noémie 5 - Albert aux grandes oreilles, coll. Bilbo, 1998.
Noémie 6 - Le Château de glace, coll. Bilbo, 1998.
Noémie 7 - Le Jardin zoologique, coll. Bilbo, 1999.
Noémie 8 - La Nuit des horreurs, coll. Bilbo, 1999.
Noémie 9 - Adieu, grand-maman, coll. Bilbo, 2000.
Noémie 10 - La Boîte mystérieuse, coll. Bilbo, 2000.
Noémie 11 - Les Souliers magiques, coll. Bilbo, 2001.
Noémie 12 - La Cage perdue, coll. Bilbo, 2002.
Noémie 13 - Vendredi 13, coll. Bilbo, 2003.
Noémie 14 - Le Voleur de grand-mère, coll. Bilbo, 2004.
Noémie 15 - Le Grand Amour, coll. Bilbo, 2005.
Noémie 16 - Grand-maman fantôme, coll. Bilbo, 2006.

La Nuit rouge, coll. Titan, 1998.

Adulte
Le Mangeur de pierres, coll. Littérature d'Amérique, 2001.
Les Parfums d'Élisabeth, coll. Littérature d'Amérique, 2002.

Le Dernier Cauchemar du petit géant?

GILLES TIBO

ILLUSTRATIONS
JEAN BERNÈCHE

QUÉBEC AMÉRIQUE jeunesse

Catalogage avant publication de Bibliothèque et Archives Canada

Tibo, Gilles
Le Dernier Cauchemar du petit géant
(Série Petit géant ; 12)
(Mini-bilbo ; 33)
Pour enfants.
ISBN 978-2-7644-0554-3
I. Titre. II. Collection: Tibo, Gilles. Série Petit géant ; 12.
III. Collection: Mini-bilbo ; 33.
PS8589.I26D47 2007jC843'.54   C2006-942198-6
PS9589.I26D47 2007

	Conseil des Arts	Canada Council
	du Canada	for the Arts

Nous reconnaissons l'aide financière du gouvernement du Canada par l'entremise du Programme d'aide au développement de l'industrie de l'édition (PADIÉ) pour nos activités d'édition.

Gouvernement du Québec – Programme de crédit d'impôt pour l'édition de livres – Gestion SODEC.

Les Éditions Québec Amérique bénéficient du programme de subvention globale du Conseil des Arts du Canada. Elles tiennent également à remercier la SODEC pour son appui financier.

Québec Amérique
329, rue de la Commune Ouest, 3e étage
Montréal (Québec) H2Y 2E1
Téléphone: 514 499-3000, télécopieur: 514 499-3010

Dépôt légal: 1er trimestre 2007
Bibliothèque nationale du Québec
Bibliothèque nationale du Canada

Révision linguistique: Diane Martin et Céline Bouchard
Mise en pages: Andréa Joseph [PageXpress]

Imprimé au Canada

Bonne nuit

À Danielle,
Jean et leurs deux filles,
Geneviève et Émilie, ainsi
qu'à leurs petits-enfants.

J. B.

1

La promesse

Je m'appelle Sylvain, Sylvain le petit géant. Ce soir, en compagnie de mes parents, je regarde un film de bandits à la télévision. Soudain, mon père appuie sur le bouton de la télécommande. Clic! le téléviseur s'éteint. Papa me dit:

— Sylvain, il est tard, tu dois aller te coucher!

— Mais papa!?!?

Ma mère ajoute:

— Si tu regardes un film trop violent, tu vas encore faire des cauchemars terrifiants !

— Mais maman ! ? ! ?

Mes parents me disent d'une même voix :

— Sylvain, si tu ne fais aucun cauchemar cette nuit, si tu ne viens pas nous réveiller, demain, tu recevras une belle surprise !

Je réponds :

— D'accord ! Je jure de ne pas vous réveiller avec mes cauchemars !

En vitesse, j'embrasse mes parents. Je brosse mes

dents, puis je me lance dans ma chambre :

— Bonne nuit, mes parents préférés !

— Bonne nuit, mon petit géant préféré !

Je me glisse sous mes draps, j'éteins ma lampe de chevet, je ferme les yeux et je m'endors en rêvant que je deviens un bandit poursuivi par un voleur, lui-même poursuivi par un autre malfaiteur qui, lui-même, est poursuivi par un méchant hors-la-loi.

J'ai tellement peur que je me réveille en sursaut. Il est minuit! Il fait noir! J'ai peur! Je cours vers la chambre de mes parents, mais OUPS! je m'arrête juste avant de me lancer dans leur lit. J'ai promis de ne pas les réveiller avec mes cauchemars.

Je retourne dans ma chambre. Je réfléchis. La situation est très simple: si je m'endors, je ferai des cauchemars. Donc, pour ne pas faire de cauchemars, je ne dois pas dormir! Oui, mais comment faire pour ne pas dormir de la nuit?

2

Sous le matelas

Pour que je ne m'endorme pas, il faut que mon lit ne soit pas confortable. Pour que mon lit ne soit pas confortable, je lance mes animaux, mes automobiles, mes camions, mes blocs de bois directement sous mon matelas.

Je me couche sur le dos, sur le ventre, sur le côté, et ce n'est vraiment pas confortable. Il y a des bosses partout. Excellent! Comme ça, je ne dormirai pas de la nuit, je ne ferai pas de cauchemars, je ne réveillerai pas mes parents et demain je recevrai un beau cadeau !

Mais, après quelques minutes, je m'habitue à toutes ces bosses. Pour ne pas sombrer dans le sommeil, j'ajoute plein de choses sous mon matelas et sous mon oreiller : des pantoufles, des wagons de train, des livres, des boîtes de casse-tête, des souliers…

Je me recouche et, là encore, en me tortillant, je finis par trouver une position confortable. Pour ne pas glisser au pays des cauchemars, je quitte ma chambre. Je ramasse toutes sortes de choses que je

place sous mon matelas : un parapluie, des bottes de ski, une potiche...

Tout à coup, ma mère, à moitié endormie, s'approche :

—Sylvain, que fais-tu là ?
Je rêvais qu'un voleur
dévalisait la maison !

Pauvre petite maman. Je
la prends par la main, la
couche, la borde et lui
souhaite une bonne nuit…
sans cauchemars.

Sur la pointe des pieds, je
retourne dans ma chambre.
J'ai une autre bonne idée
pour ne pas fermer l'œil de
la nuit.

3

Clic !

Clic, j'allume ma lampe de chevet. Clic, j'allume la lumière du plafond. Clic, celle de ma garde-robe. Clic, clic, clic, celles de toutes mes lampes de poche. Clic, celle de mon casque protecteur. Clic, clic, clic, celles de mes robots. FIOU ! Ma chambre est illuminée comme en plein jour. Malgré tout, je sens que je risque de m'endormir. Alors, je quitte ma chambre.

Clic, clic, clic, j'allume toutes les lumières de la maison, même celle du réfrigérateur, celle de la sécheuse et celle du four. La maison ressemble à un arbre de Noël. C'est formidable !

Soudain, je sursaute. Mon père, comme un somnambule, apparaît dans le corridor :

— Sylvain, à cause de toutes les lumières allumées, je rêvais que j'étais devenu le père Noël !!!

Pauvre petit papa ! Clic ! Clic ! Clic ! J'éteins toutes les lumières de la maison. Je prends mon père par la main, l'emmène dans sa chambre, le borde et lui souhaite une bonne nuit... sans cauchemars.

Je le quitte sur la pointe des pieds. J'ai une autre bonne idée pour ne pas fermer l'œil de la nuit.

4

L'ourson

Je me blottis contre mon ourson en peluche. Lui, il ne dort jamais parce qu'il a toujours les yeux grands ouverts. C'est ça la solution pour ne pas dormir!

Je fais comme mon ourson. J'essaie de ne jamais cligner des yeux, mais ce n'est pas facile. Ils se ferment tout seuls. Alors, je tente de les tenir avec mes doigts. Mais après seulement une minute, j'ai mal aux yeux. J'essaie de faire tenir mes paupières avec du ruban gommé, mais je ne réussis qu'à me coller les doigts... J'essaie avec des épingles à linge, mais après quelques minutes, j'ai mal aux sourcils.

Pour garder les yeux écarquillés, j'imagine des

choses surprenantes. Je
pense que la Terre et la Lune
deviennent carrées. Je
pense que les étoiles se
transforment en papillons
multicolores. Je pense que je
reçois une belle galaxie en
cadeau. En imaginant
toutes ces choses
étonnantes, j'écarquille les

paupières, mais, après dix secondes, mes yeux piquent. Après vingt secondes, mes paupières surchauffent. Après trente secondes, je n'en peux plus. Mes yeux deviennent aussi secs que le sable du désert. Ils vont bientôt craquer!

Je me précipite dans la salle de bain, puis dans la cuisine. J'ouvre tous les robinets que je vois. Je m'asperge les yeux d'eau fraîche. Ah! que cela fait du bien!

Ma mère accourt en s'écriant:

—Sylvain! Je rêvais que la maison était complètement inondée!

Pauvre petite maman! Après avoir fermé tous les robinets, je la prends par la main, la ramène dans son lit, la borde et lui souhaite une bonne nuit… sans cauchemars. Puis, sur la pointe des pieds, je m'en vais dans le salon. J'ai une autre bonne idée pour ne pas dormir!

5

La télévision

Arrivé dans le salon, clic! j'écoute ma cassette vidéo préférée. C'est l'histoire d'un petit garçon qui réussit à dompter un cheval sauvage. Pour m'enfuir le plus loin possible du sommeil, je crie en même temps que le petit garçon:

—ALLEZ! AU GALOP, MON CHEVAL!

Je grimpe sur le dossier du canapé:

— ALLEZ! ALLEZ! PLUS VITE!
MON CHEVAL!

Tout à coup, le plancher
vibre. On dirait une cavalerie
qui approche. Mon père et
ma mère apparaissent dans
le salon. Complètement
dépeigné, mon père hurle:

— Qu'est-ce qui se passe
ici? À cause de tous ces
bruits, je rêvais que j'étais un
cow-boy qui tombait en bas
de son cheval!

— Et moi, ajoute ma mère,
je rêvais que j'étais
prisonnière au Far West!

Clic, j'éteins la télévision.
Pauvres petits parents! Je les
prends par la main, les

ramène dans leur chambre
et les borde en leur
souhaitant une bonne nuit…
sans cauchemars.

Sur la pointe des pieds, je
sors de leur chambre. J'ai
une autre très très bonne
idée pour ne pas dormir.

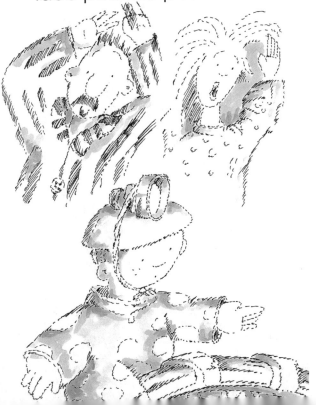

6

Dans la garde-robe

Pour ne pas déranger mes parents, je vais me cacher dans la garde-robe de l'entrée. Afin de résister au sommeil, j'imite les cris de certains animaux qui ne dorment jamais la nuit. J'imite les hululements du hibou :

— HOU ! HOU ! HOU ! Et encore HOU ! HOU ! HOU !

J'imite les hurlements du loup :

— AAAOOOUUUU !
AAAOOOUUU !

J'imite les fantômes et les
sorcières :

— HOUU ! HOUU ! HOUU ! Et
GNIII ! GNIII ! GNIII !

À force d'imiter les
animaux et les êtres qui
ne dorment pas la nuit, je
réussis à ne pas sombrer
dans le sommeil. Mais
soudain, j'entends des pas
s'approcher de l'autre côté
de la porte de la garde-
robe. GLOUP ! J'ai peur
d'avoir attiré des loups, des
hiboux, des fantômes et des
sorcières. Je tremble de

peur... Mes dents claquent.
CLAC ! CLAC ! CLAC !

La porte de la garde-robe
s'ouvre d'un coup sec.

J'aperçois mes parents. Mon père, de plus en plus dépeigné, hurle :

— Je rêvais que des loups rôdaient dans la maison !

— Et moi, je rêvais qu'une sorcière me poursuivait, ajoute ma mère.

Pauvres petits parents ! Je les prends par la main, je les reconduis dans leur chambre, je les borde, puis je leur souhaite une bonne nuit... sans cauchemars.

En catimini, je m'en vais dans la cuisine. J'ai une autre bonne idée pour ne pas dormir.

7

Dans la cuisine

Dans la cuisine, pour ne pas dormir, j'invente des boissons en mélangeant du jus de pomme, un peu de soupe, du lait, du jus de tomate, une boisson gazeuse, du vinaigre, de l'huile d'olive et du jus de citron. Je prépare aussi, pour le petit-déjeuner, des assiettes remplies de morceaux de jambon, de la crème glacée, des biscuits, des olives, de la moutarde, du poisson, du chocolat et des céréales…

Et puis, il me vient une très bonne idée. Je dépose dans le mélangeur tous les beaux mets que je viens de créer.

J'appuie sur le bouton et OOOIIINNNGGG! GNN! GNN! OING! je mélange tous les ingrédients.

Mes parents surgissent dans la cuisine.

Ma mère, les yeux de plus en plus cernés, s'écrie :

— Avec tout ce bruit, je rêvais qu'un ogre me poursuivait !

— Et moi, ajoute mon père en catastrophe, je rêvais qu'un tyrannosaure me dévorait !

Pour calmer mes pauvres parents qui font de terribles cauchemars, je leur sers un petit verre de lait. Puis, en sifflant une berceuse, je les reconduis dans leur chambre. Je les borde et je leur souhaite une bonne fin de nuit... sans cauchemars.

Sur la pointe des pieds, je me dirige vers le balcon arrière. J'ai une très, très, très bonne idée pour ne pas dormir.

8

Les mouches et autres bibittes

Je sors sur le balcon arrière. Avec mon filet à papillons, j'attrape des dizaines, des centaines, des milliers de mouches, de maringouins et de papillons qui tournent autour de la lumière. Je les emporte dans ma chambre et je les libère. J'entends des bzz, bzz, bzz à n'en plus finir. Impossible de dormir dans de telles conditions. Excellent !

Les mouches tournent autour de moi, puis elles disparaissent derrière ma porte entrouverte. Trois secondes plus tard, j'entends mon père crier en quittant sa chambre :

— ARRRRGGG ! À cause de ces foutus moustiques, je rêvais que j'étais perdu au fond de la jungle.

— Et moi, ajoute ma mère, je me croyais en pleine forêt tropicale !

Armé de mon filet, j'essaie d'attraper les moustiques, bzz, bzz... les mouches, zzz... zzz... et papillons, flop, flop... qui voltigent dans la

chambre de mes parents,
dans la cuisine, dans le salon
et aussi dans ma chambre...

En chassant les
moustiques, je trouve une
belle boîte cachée sous le lit
de mes parents.

— Est-ce mon cadeau?

— Oui, répondent-ils en se grattant et en se tortillant.

— Est-ce que je peux le déballer, étant donné que moi, je n'ai fait aucun cauchemar de la nuit ?

Bzz, bzz, bzz et grat, grat, grat... Mes parents, trop occupés à se gratter, ne répondent pas à ma

question. Pendant que je déballe mon cadeau, mon père, pris de panique, s'écrie :

— Mais on ne peut plus rester ici, il y a trop de moustiques !

— Allons dormir ailleurs, suggère ma mère.

— Où ça ? demande mon père.

— À l'hôtel, répond ma mère.

— C'est trop cher, dit mon père.

— Allons au camping !

— C'est trop loin, réplique mon père.

Je déballe mon cadeau et je saute de joie : c'est un joli canard de plastique !

— Chers parents, moi, je sais où nous pouvons terminer la nuit !

9

Dernier cauchemar?

En vitesse, j'entraîne mes parents dans la seule pièce de la maison dont la porte était fermée – la salle de bain. Je leur dis :

— Ne bougez pas, je reviens tout de suite !

Zioum ! Je quitte la salle de bain. Zioum ! Je reviens, les bras chargés de douillettes et d'oreillers.

— Mais nous n'allons pas dormir sur le plancher de la salle de bain! s'écrient ensemble mon père et ma mère.

— Mais non, mes chers petits parents!

Je leur explique mon idée géniale. En bougonnant et en se tortillant, ils finissent par trouver une position confortable… au fond de la baignoire.

Je me faufile entre mon père et ma mère. C'est le meilleur endroit du monde pour dormir. Le soleil commence à éclairer l'intérieur de la salle de bain.

YOUPI! J'ai réussi à passer toute une nuit sans faire de cauchemar. C'est merveilleux… Je glisse dans le sommeil en rêvant que mon père, ma mère, moi et mon joli canard, nous nageons dans un beau lac. Mais pour ne pas grelotter dans l'eau froide, j'ouvre un robinet d'eau chaude suspendu à un nuage.

La vie est belle! Je rêve que je nage dans l'eau chaude et savonneuse. Mais soudain, splich! splach! splouch! La voix de mon père me réveille:

— AU SECOURS ! Avec toute cette eau, je rêvais que je me noyais !

— Et moi, ajoute ma mère, je rêvais que mon bateau coulait à pic !

Alors, moi, je n'en peux plus. Je crie à mon tour :

— Non mais ! Comment voulez-vous que je dorme, avec des parents qui font des cauchemars à répétition !

Fiches d'exploitation pédagogique

Vous pouvez vous les procurer sur notre site Internet
à la section jeunesse/matériel pédagogique.

www.quebec-amerique.com